Daniel Puibo

D0545441

JE DESSINE
MON JARDIN

Table des matières

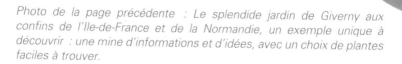

Photo de la page précédente : Le splendide jardin de Giverny aux confins de l'Ile-de-France et de la Normandie, un exemple unique à découvrir : une mine d'informations et d'idées, avec un choix de plantes faciles à trouver.

Ce petit guide est le complément indispensable des catalogues et ouvrages de jardinage ; il les complète en vous permettant de concevoir ou de redessiner tout votre jardin, tout en tirant le meilleur parti de ce que vous pouvez vous procurer dans le commerce.

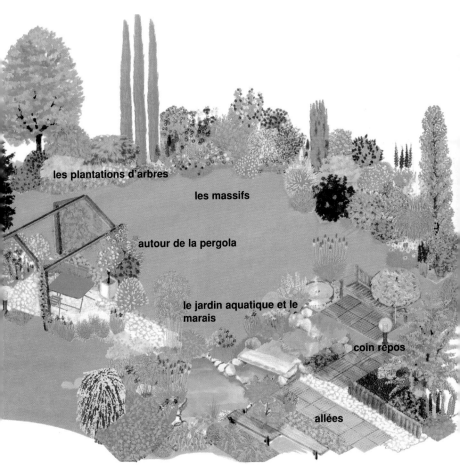

les plantations d'arbres

les massifs

autour de la pergola

le jardin aquatique et le marais

coin repos

allées

Des choix
pour votre jardin

Les jardins d'aujourd'hui sont souvent d'une surface restreinte, quelques centaines de mètres carrés tout au plus. Les exemples, que sont les grands parcs et les modèles d'exposition, sont eux à une échelle très au-dessus de ce que peut réaliser un amateur moyen. S'informer dans ces jardins modèles, c'est s'inspirer de ce qui se fait de mieux, mais il faut savoir le ramener à son échelle personnelle. Les visites de jardins modèles permettent également de se faire une idée de la taille réelle qu' atteignent les arbres et arbustes quand ils deviennent adultes.

Un bord de trottoir, quelques mètres carrés de cour peuvent devenir un espace charmant avec de simples jardinières fleuries et des bacs. C'est le complément citadin du jardin. Il n'existe pas d'espaces qui ne soient pas susceptibles d'être plantés.

La rocaille est un espace de décor pour terrains en pente. Elle ne peut se justifier que dans un pays où les roches sont naturellement belles et apparentes. Très en vogue il y a vingt à vingt-cinq ans, elle n'a plus de raison d'être ailleurs qu'en pays d'altitude car on construit de moins en moins de maisons sur sous-sol enterré.

Le cadre romantique est très recherché aujourd'hui. Un pont, un saule pleureur, un plan d'eau font rêver tous les amateurs mais ce type de jardin ne peut être matérialisé que dans de grands espaces. Ici, le parc de Monet à Giverny. En revanche, on sait aujourd'hui exploiter le décor aquatique sur des petites surfaces.

Ces deux plans, dessinés au début du siècle passé (1837-1845), ont servi de modèles pour jardins réguliers traditionnels, durant un siècle. Mais on s'inspire encore de ces tracés à notre époque : ils sont logiques et on les adapte à nos disponibilités contemporaines.

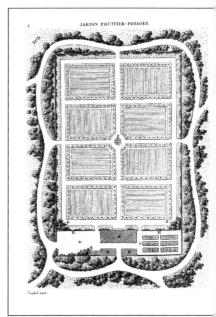

JARDIN FRUITIER-POTAGER.

Le jardin du Coudray en Normandie est un catalogue vivant de ce qui peut se faire de mieux aujourd'hui. Une simple allée, une potée à la croisée des chemins et une série d'arceaux fleuris constituent le dessin de base. Le tracé est simple, la diversité tient au choix des plantes bulbeuses et vivaces. Attention, ce type de jardin nécessite beaucoup de soins.

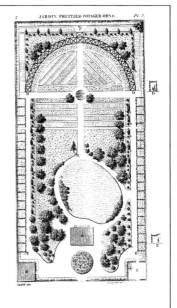

Une des erreurs les plus fréquentes quand on dessine et plante un jardin nouveau, dans un lotissement par exemple, consiste à trop rapprocher les arbres et arbustes. On a toujours tendance à planter trop près d'une maison. Leur proximité peut endommager les fondations et vieillit prématurément les façades. Avant de planter quoi que ce soit, informez-vous sur la taille adulte des arbres et des conifères en particulier.

Les grandioses jardins de Villandry ne datent pas, comme le croient certains amateurs, du XVIe siècle; ils ont été entièrement dessinés et plantés au début du XXe siècle. Les formes de buis taillés sont redevenues à la mode. Elles sont adaptables à de plus petits espaces mais ont le défaut néanmoins d'être très onéreuses.

Dans les régions méridionales, on hérite souvent d'importants décors construits, en dehors des lotissements. Murs de soutien de cultures en terrasse, escaliers, fontaines... ne demandent qu'à être restaurés. Le décor végétal vient alors en complément, un peu comme dans une rocaille.

Quelques tendances contemporaines

Le jardin est installé dans un petit espace : 100 à 200 m². Il nécessite une bonne connaissance des diverses natures de plantes afin d'en tirer le meilleur parti.

Passages et sols très étudiés : caillebotis, pierres naturelles, aires sablées. L'influence japonaise, ou du moins son interprétation, fait partie des tendances actuelles.

1. Petit plan d'eau avec un environnement de végétaux aux formes pittoresques : bambous, plantes à feuillage plantureux (rhubarbes, gunneras). **2.** Large usage des plantes tapissantes. **3.** Formes taillées en dôme, isolées et de petites dimensions. **4.** Graminées et plantes à feuillage décoratif. **5.** Plantes de terre de bruyère.

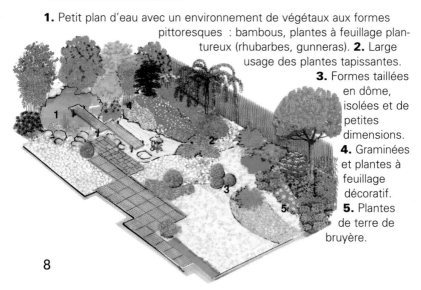

Le retour au classicisme

Cette tendance, à l'opposé de la page précédente, n'exige pas une connaissance approfondie d'une grande quantité de plantes, mais nécessite des soins de tous les instants. Adaptable à 100 m^2 aussi bien qu'à un hectare.

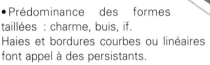

- Prédominance des formes taillées : charme, buis, if.
Haies et bordures courbes ou linéaires font appel à des persistants.
- Les plantes saisonnières à fleurs sont la base d'un décor en trois époques :
1. Floraison printanière (plantes bulbeuses et bisannuelles).
2. Floraison estivale (plantes annuelles et vivaces non rustiques).
3. Floraison automnale à base de chrysanthèmes et asters.
- Le décor à plat est dévolu à un gazon très ras et à des passages sablés de couleurs variées, selon le minéral utilisé.

Le jardin classique, par son dessin, fait de formes géométriques taillées. Dans cet espace aménagé à Villandry, les carrés de culture sont plantés de légumes de collection qui contribuent au décor. Chaque sous-parcelle peut servir de modèle pour un jardin particulier. Le visiteur peut d'ailleurs consulter des plans schémas de plantation.

L'indispensable adaptation au climat et au terrain

On ne crée pas un même jardin en Bretagne et en Savoie. Où que l'on soit, il faut s'adapter aux conditions locales.

Chaque région a un type d'architecture, un caractère du terroir, dont on doit s'inspirer au moins en partie quand on crée un jardin nouveau.

Pour le climat : trois facteurs à prendre en compte, la température, le vent, la pluie.

• Plus on s'éloigne de l'océan, plus les écarts de température saisonniers sont importants. Sur la côte : hivers doux et étés peu chauds, sur les hauts plateaux de l'est et du centre : étés chauds et hivers froids.

• Le régime des pluies change également quand on s'écarte des côtes. Régulières dans l'année en

Jardin de montagne (Le Chitelet, Vosges)

Jardin du centre (Apremont s/Allier, dans le Cher)

Bretagne, elles sont surtout automnales et hivernales à l'intérieur. Les zones continentales sont soumises à des orages estivaux. Au contraire, sur la côte méditerranéenne, les pluies sont printanières et automnales avec un hiver plutôt sec et ensoleillé.

• Les vents maritimes sont en principe dominants pendant la période hivernale où les vents d'est et du nord, froids et secs, sévissent sur une grande partie du pays. Le mistral, soufflant des Alpes vers la Méditerranée, de l'automne au printemps, oblige à prévoir des rideaux protecteurs.

Le climat de montagne, avec des chutes de neige précoces à l'automne, protège les

plantes qui sont en dessous, tandis que ce qui est au-dessus de la couche de neige est endommagé par le rayonnement lors des grands froids. D'où le paradoxe d'usage de plantes fragiles et très rustiques tout à la fois sous les climats montagnards.

Jardin méridional (Hyères, Var)

Jardin d'Ile-de-France (Saint-Jean-de-Beauregard)

Attention encore à la nature des terres

Les effets du climat peuvent être amplifiés ou tempérés par les sols. Les terres siliceuses et volcaniques de l'Ouest retiennent mal l'eau en dépit des pluies. Envisager des végétaux résistant aux sécheresses estivales. Les terres argileuses majoritaires en beaucoup de régions ont plus de réserves mais conservent beaucoup d'eau en hiver; éviter d'y planter des végétaux de terrain sec qui seraient asphyxiés. Les catalogues de pépinières et jardineries donnent toutes les indications utiles sur les besoins des plantes.

Les formes variées du jardin

Autour d'une maison contemporaine, le jardin s'implante toujours selon un schéma général constant. Les régles d'alignement de la construction neuve par rapport à la voie publique imposent une distance minimale de 4 m. Le jardin entre la rue et la maison porte le nom courant de jardin d'accueil. Il est souvent de dimensions moyennes, encore réduites par l'accès à la maison et au garage. C'est un jardin décoratif. On peut, si l'on n'a pas peur de cacher la maison aux regards, accroître ses possibilités avec tonnelles et portiques sur lesquels on fera pousser des plantes grimpantes. Dans ce jardin côté rue, éviter la plantation d'arbres à grand développement, dont l'ombre finira toujours par devenir préjudiciable.

Les plantes grimpantes à fleurs, qui habillent tonnelles, pylônes, façades et pergolas sont les dessinatrices des parties verticales de nos jardins, faites-en largement usage.

Le jardin côté rue

2

1

4

3

entrée maison

accès auto

1. Les plantes en bacs et en grands pots permettent beaucoup de mobilité dans l'agencement du décor.

2. A la haie rigide séparative, il est souvent préférable de choisir une bande arbustive décorative .

3. Au gazon, on peut pour simplifier l'entretien substituer des surfaces de plantes tapissantes.

4. La floraison verticale des murs et fenêtres participe au décor.

Ce schéma-type correspond au jardin moyen de 50 à 100 m² qui sert de cadre d'accueil dans de très nombreuses maisons de lotissement. Il s'agit ici d'une conception simple de base.

1. On peut habiller une cour de façon très séduisante. Les Alsaciens sont passés maîtres dans le genre, en exploitant les possibilités verticales des plantes grimpantes à feuillage et le décor saisonnier des plantes en bacs et pots. Quelques dizaines de mètres carrés suffisent.

2. Le jardin « Agapanthe » en Normandie est un écrin de petites saynettes de quelques dizaines de mètres carrés. Les abords de la maison sont agencés à partir de poteries fleuries et les articles de ferronnerie permettent de créer un décor hors du temps. Ici, on est entre cour et jardin.

3. Le décor de parc d'inspiration japonisante fait le plus appel à des arbustes à fleurs ou à feuillage qui ont toute possibilité de se développer sans entrave, d'où l'importance du jeu des couleurs et des formes. Plusieurs milliers de mètres carrés sont nécessaires.

4. A l'opposé du décor précédent, l'atmosphère alpine ou de rocaille. Attention, le choix et le positionnement des roches est aussi important que les plantes elles-mêmes. Un jardin de plantes alpines doit être construit sur un terrain dont le fond est très perméable dans un espace très dégagé. Il demande beaucoup d'entretien.

Les constructions

Les constructions du jardin doivent d'abord être en harmonie avec la maison. On évitera autant que possible l'usage du béton brut pour privilégier des matériaux naturels : pierres, briques, bois. Eviter, en règle générale, l'échantillonnage de matières trop différentes.

Ce décor construit est confectionné dans un espace de moins de 70 m². Le mur d'appui de ce charmant petit kiosque est construit à partir d'éléments préfabriqués Bradstone très réalistes et faciles à poser.

Chaque fois qu'il existe des éléments construits pittoresques ou de qualité, comme dans ce vieux décor provençal, il faut dessiner le jardin autour, et s'y adapter, plutôt que de vouloir faire du neuf à tout prix.

Des éléments maçonnés préfabriqués (ici IDB) permettent de soutenir des talus et pentes, en les transformant en zone végétalisée. Remplace la fausse rocaille avantageusement, mais s'utilise surtout dans de grands espaces.

Le tracé des allées, la construction des murs et des clôtures sont à prévoir en premier. Il est sage de faire un tracé du jardin en prévoyant également le passage des canalisations électriques, de gaz, d'évacuation à l'égoût et de l'arrosage enterré avant de penser aux plantations et pelouses. Toutefois, les travaux de maçonnerie et terrassement doivent être surveillés de très près, afin que la bonne terre reste préservée et non polluée par des résidus de rinçage et nettoyage d'outils de maçonnerie.

• Ne faire appel aux grosses maçonneries que lorsque c'est strictement nécessaire, sur terrain en pente par exemple. En terrain plat, chaque fois que des travaux peuvent être faits sur un simple encaissement rempli de sable, les préférer à ceux qui nécessitent de grosses fondations.

• Ne pas hésiter à faire largement appel à tout l'équipement en bois devenu abordable aujourd'hui : clôtures, claustras, treillages, bordures, dallages de bois taillés en bout, caillebotis. Le châtaignier et le hêtre sont des bois durables pour les constructions de jardin.

• Les exemples dessinés que nous présentons dans les pages qui suivent correspondent à des articles qui existent et sont proposés dans le circuit des grandes surfaces de bricolage ou des jardineries.

Clôtures et murs

Les clôtures légères ne demandent que des travaux minimes côté fondations.
1 et 2. Les panneaux en bois venus d'Angleterre : légers, faciles à placer.
Leur but : une séparation étanche sur terrasse ou en complément de clôture. A n'utiliser que sur de petits espaces car assez chers.

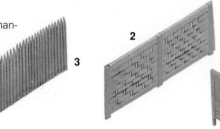

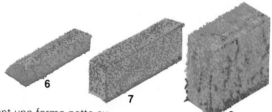

3. Clôtures en piquets de châtaignier, recommandées pour décors rustiques. Etanches, assez chères.

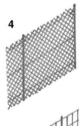

4 et 5. Clôtures grillagées sur poteaux : la formule séparative extérieure la plus économique et la plus efficace à la fois. Esthétique à enrichir par un habillage de végétaux, soit sous forme de haies et bosquets, soit par un habillage de plantes grimpantes.

Les haies taillées donnent une forme nette au jardin et font la fierté de leur propriétaire. Trois gabarits :
6, 7 et 8. Basses (jusqu' à 50 cm), elles n'ont qu'un rôle symbolique. Moyennes (jusqu'à 1 m) : elles délimitent la propriété ou une partie du jardin. Hautes (jusqu'à 2 m) : elles sont franchement séparatives.
Les haies de plus de 2 m ne peuvent être utilisées que côté rue, car la règle des distances de plantation en limite de propriété avec voisin en interdirait l'usage comme séparation à moins de 2 m du bord du terrain.

Les clôtures et les murs sont d'abord des éléments séparatifs, mais aussi des supports qui appuient le fond d'un décor ou permettent à des plantes de grimper.

1. Les clôtures de bois aux multiples formes sont proposées en éléments prêts à poser par de nombreux fabricants (grandes surfaces de bricolage, jardineries). Elles contribuent au décor, peuvent être utilisées en séparation extérieure mais aussi pour dessiner certaines parties internes du jardin. Des formes équivalentes existent en PVC blanc (Maine Plastique).

2. Les lisses à deux barres en béton étaient utilisées traditionnellement pour l'enclos des chevaux ; plus généralement on les utilise pour encadrer de grandes pelouses car leur pose est rapide et leur entretien nul.
Ces modèles ont inspiré les fabricants de clôtures en PVC, plus particulièrement destinées à l'entourage du jardin. Economiques et faciles à poser.

3. La réglementation de la construction des murs est à juste titre restrictive ; mieux vaut prévoir quelques murs bas et décoratifs, mais éviter de trop maçonner un jardin.

Les communications dans le jardin

Les communications à dessiner se situent à trois niveaux :
1. Les accès carrossables, avec une fondation résistante, permettant aux voitures et camions de livraison de stationner (largeur 2,5 m minimum, encaissement de 30 cm avec hérisson sous couche).
2. Les allées de passage fréquent qui doivent être planes d'une largeur suffisante (1,2 m), utilisables par tout temps, donc pourvues d'une garde au gel. La terrasse, face directement aux pièces de la maison, doit répondre aux mêmes critères (fondations 15 à 20 cm).
3. Les allées de passage occasionnelles, plus étroites (60 à 80 cm), sont tracées sur des fondations légères (un simple lit de sable et de gravillons roulés). Peuvent être en dalles ou en briques.

1. L'allée contribue largement au décor et au confort. On abandonne aujourd'hui les gravillons et dallages rustiques inconfortables au bénéfice de passages agéables à l'œil autant qu'au pied. Prévoir 80 cm minimum ; dans un jardin moyen ne pas dépasser 1,2 à 1,5 m. Ici dallage Bradstone.

2. Dans la conception du jardin, il est souvent préférable d'atténuer les pentes. A l'escalier banal de trois ou quatre marches, substituer par exemple des petites plates-formes qui rendent le parcours décoratif et agréable à la fois. Les pavages préfabriqués en béton coloré, les vrais pavés et les briques permettent des aménagements composites.

2

Le choix des revêtements de sol

1. Pavage en <u>béton coloré</u> : pour passages voitures, grandes allées. Convient à l'architecture contemporaine ou rustique. Lourd. Très abordable.

2. Pavage en <u>granit</u> : très résistant pour parkings et aires de communication très fréquentées. Convient aux jardins classiques et aménagements de prestige. Très cher et lourd.

3. <u>Caillebotis</u> : matériau très à la mode pour aménagements de terrasses, patios. Pour passages peu fréquents. Convient aux aménagements urbains. Qualité et prix très variables. Léger.

4. <u>Rondins et pavés de bois</u> : pour aménagements pittoresques sur de petites surfaces. Prix très variable. Durabilité incertaine. A réserver aux espaces ensoleillés (glissant à l'ombre).

5. Pavage en <u>« opus incerum »</u> : après une grande vogue dans les années 50-70, est tombé en désuétude ; à éviter, car ne cumule que des inconvénients.

6. <u>Pavés autobloquants</u> : pour passages fréquents (voitures et piétons), surfaces perméables. Economiques.

7. <u>Briques</u> : pour allées en harmonie avec matériaux de même nature utilisés pour murs et escaliers. Les versions spéciales pour jardin (Vaugirard) ne sont pas glissantes. Prix abordable.

8. <u>Bastingage de bois</u> : pour terrasses et patios. Convient à des aménagements modernes. Pour passages légers. Cher.

9. <u>Briques maçonnées</u> : pour passages demi-lourds (piétons et petits véhicules). Surtout utilisées en Europe du Nord. Glissant à l'ombre.

10. <u>Ardoises taillées « opus quadratum »</u> : pour terrasses et allées dans les régions où ce matériau est naturel.

Des idées pour vos communications

Voici des ambiances et des matériaux qui vont faciliter le choix en fonction du décor général que vous souhaitez.

Les passages romantiques :

Le pont de bois au-dessus d'un petit plan d'eau ou d'un ruisseau conduit à un second pont, puis à l'allée principale. Cet aménagement n'occupe qu'un espace de 40 m² et donnera au jardin un aspect romantique enviable. Un des exemples à suivre, réalisé au jardin du Coudray, à Etaimpuis en Normandie. Les catalogues des menuiseries pour décors de jardin disposent d'ouvrages de ce type adaptables à des passages d'eau de 1 à 1,5 m.

Technique nouvelle et simple :

Les éléments de construction Bradstone en pierre reconstituée colorée sont proposés en modules normalisés qui permettent la construction de murs et murets, petites façades de fontaine, murets banquettes, décors de proximité de barbecue, sans poser de difficultés de montage majeures.
L'usage habile d'un mortier coloré fait complètement oublier les joints. Prix assez élevé.

Les circulations fonctionnelles :

Cette petite rotonde montre qu'on peut pro-
céder à des associations de pavés autobloquants de couleurs et de formes très différentes, pour la confection de passages piétons et véhicules. Intéressants à partir de
2 à 3 m de large. Ici création d'IDB.
Remarquer la bordure intermédiaire en
pavés de granit vrai. Les pavés de béton
autobloquants sont disponibles chez les
spécialistes dans des teintes très variées.
Ils se posent sur chape de sable avec drai-
nage.

Escaliers en pierre de pays :

Dans les régions où les pierres sont naturellement belles : Bourgogne, Bretagne,
Provence, un large emploi peut en être fait
comme ici dans ce jardin d'Hyères pour un
mur de soutènement traversé d'un escalier. Seules de telles
régions, a fortiori quand le terrain est accidenté, justifient des
constructions importantes. Il faut remarquer que toutes les
roches ne se prêtent pas à l'emploi en pierres sèches.(La technique de pose est très professionnelle.)

Les quelques matériaux de base

(Doc. Pacem

1. *Les pavés : un matériau pour cours, terrasses et escaliers. Nécessitent une pose précise (Matériaux Cossuta, Fontainebleau).*

2. *Muret en pierres sèches. Hauteur habituelle : 50 à 70 cm. Fonction décorative essentiellement.*

3. *Dallage en pavés de béton coloré. La variété des formes et des couleurs permet des compositions très dessinées.*

7. Les dallages avec surface en gravillons lavés sont les plus courants aujourd'hui (dalles de 30 à 50 cm au carré).

8 et 9. Dallages en céramique de grandes dimensions. Ont deux avantages : rapidité de pose et facilité d'entretien.

(Doc. Siliroc)

4. La bordure construite en éléments de maçonnerie ne se justifie que si l'allée longe un massif.

5. Les pavés autobloquants : une solution pour les grandes surfaces (passages et terrasses).

6. Le banc de jardin en pierre est partie constituante du décor, il prend vite de la patine.

(Doc. Siliroc)

Terrasses, patios et pergolas

Ce sont les surfaces à vivre. A proximité immédiate de la maison, elles sont un trait d'union entre elle et le jardin. Elles peuvent aussi être aménagées au contraire dans un endroit retiré sous une voûte de verdure.

1. La terrasse aménagée contemporaine, surtout quand elle fait partie d'un cadre urbain, est dessinée d'après un tracé quasi standard : une surface à vivre en caillebotis ou bastingage de bois, et des jardinières périphériques continues, ponctuées ici et là de quelques grands bacs isolés. Le décor construit est très important.

2. Les suspensions fleuries font fureur chez nos voisins anglais, mais en France il semble qu'on n'en profite pas assez. Sous une pergola de 2,3 m de haut, elles permettent de mieux utiliser l'espace vertical avec des fleurs identiques à celles des jardinières.

3. Les grands bacs en pierre reconstituée ou en terre cuite font partie des décors construits de base pour l'aménagement des terrasses et patios. Plus ils sont lourds, plus leur place est au rez-de-chaussée ; en étage, ils risquent assez vite d'atteindre la charge limite autorisée.

4. La pergola en treillage du plus pur style classique. Ici dans le jardin Baudy à Giverny. La pergola peut aussi être habillée de plantes grimpantes peu salissantes comme les rosiers (éviter lierres, chèvrefeuilles et glycines qui endommagent les bois).

La terrasse contemporaine-type

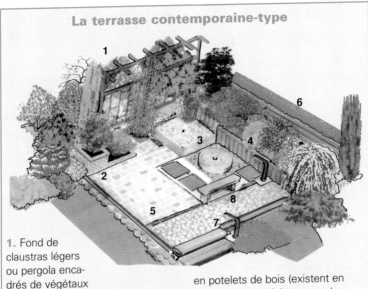

1. Fond de claustras légers ou pergola enca-drés de végétaux divers (arbustes persistants, grandes herbes, plantes grim-pantes...). C'est un fond ou une séparation visuelle.

2. Des jardinières maçonnées en briques ou pierres décoratives reçoivent des arbustes précieux ayant besoin d'un mélange terreux sur mesure. La maçonnerie doit être décorative en elle-même.

3. Bassin ou fontaine : centre d'in-térêt visuel et sonore à la fois. Noter qu'à proximité, pour accroître l'effet, le sol peut être dif-férent. Ici gravillons blancs et caillebotis. Un petit plan d'eau d'un mètre carré ajoute beaucoup au décor ambiant.

4. Massifs et groupes de plantes légèrement surélevés avec bordure en potelets de bois (existent en prêts à poser). L'alternance de feuillages colorés ou panachés apporte beaucoup.

5. Dallage décoratif peu salissant. Plus la terrasse est petite, plus les pavés ou dalles doivent être de petit format.

6. Groupement de végétaux arbus-tifs à feuillage persistant et à fleurs. L'étage de végétation ne doit pas dépasser les 2 à 2,5 m. Beaucoup de feuillages.

7. Eclairage frisant avec luminaires télécommandés à allumage auto-matique par simple présence. Le choix des luminaires et celui de leur placement doivent donner une nou-velle image nocturne à la terrasse.

8. Bancs et meubles sont placés dans un axe de vue intéressant.

1. Pour les potées, optez de préférence pour des végétaux à feuillage et floraison denses et de longue durée comme les hortensias. Le mélange terreux peut être confectionné sur mesure, étant donné le faible volume à manipuler.

2. Dans le cas d'une pergola construite avec une certaine recherche, mieux vaut guider les plantes d'ombrage à part. Deux beaux exemple à suivre, Chamerolles dans le Loiret et Grand Jardin en Champagne, dont les pergolas reconstruites reproduisent les tracés anciens authentiques.

3. Un exemple de pergola sur allée, en Normandie. C'est l'occasion dans un jardin-cloître de petites dimensions d'utiliser la

structure verticale pour y faire croître quantité de rosiers et de plantes grimpantes.

Les «meubles» de base pour la terrasse et le patio

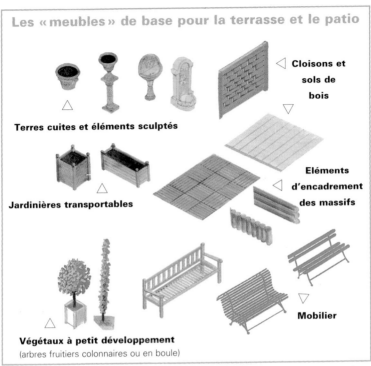

◁ Cloisons et sols de bois

Terres cuites et éléments sculptés

Jardinières transportables

Eléments d'encadrement des massifs ◁

Mobilier ▽

Végétaux à petit développement
(arbres fruitiers colonnaires ou en boule)

1. Une façon très paysagée de décorer une terrasse : dessiner au sol un damier de gravillons colorés ou d'écorces de pin délimité par des réglettes de bois et y placer des plantes en pots comme des pions d'échecs. Ici des buis taillés en forme.
2. L'agencement de terrasse le plus simple avec floraison à base de potées de fleurs saisonnières.

(Doc. Brique de Vaugirard)

29

Le cas particulier des balcons et des terrasses très petites

Un balcon est le plus souvent délimité par le garde-corps : une grille, un muret ou une glace épaisse, d'une part, des baies et un mur d'autre part. Le décor principal tourne autour de l'aménagement des garde-corps, mais l'usage des autres surfaces verticales, comme les espaces entre baies, ne doit pas être négligé. Au mur, c'est tout le domaine des treillages et des accessoires si brillamment utilisés par les stylistes : fontaines, statuaire, lanternes, lave-main, photophores et autres objets.

1. On ne pense pas assez à faire entrer des plantes grimpantes à végétation modérée dans le plan d'installation d'un balcon. Eviter les vignes vierges et les lierres mais retenir les ipomées, haricots d'Espagne et capucines.

2. Les jardinières suspendues sont destinées à recevoir des fleurs

saisonnières (printemps, été) mais peuvent également être en partie garnies de plantes persistantes.

3. Prévoir au moins un persistant en bac afin d'avoir de la verdure toute l'année (conifère à végétation lente ou arbuste).

4. Habiller le sol : moquette synthétique façon gazon, carrelage, caillebotis.

5. Habiller les murs avec des treillages en bois ou en matière synthétique (Espacio de Celloplast). Choisir des références à mailles serrées beaucoup plus garnissantes.

6. Equilibrer les plantes en potées de terre cuite et en bacs bois pour des raisons esthétiques. Attention, les terrres cuites ordinaires se desquament après les gelées hivernales.

7. Habiller le plafond avec poutres et treillages afin de pouvoir y attacher des suspensions qui seront visibles à hauteur d'œil.

Les menuiseries de terrasses et balcons

Les éléments sont présentés ici tels qu'on peut se les procurer dans les commerces spécialisés.
Le bois utilisé pour la confection des menuiseries de jardin, bacs, jardinières et pergolas, sont soumis à des contraintes mécaniques. Les pieds doivent avoir une bonne résistance à la fente et à la compression.
Les lattes ou planches latérales doivent n'avoir qu'une faible rétractabilité, afin d'éviter la dislocation. Enfin, les fonds doivent avoir une bonne tenue à la pression et à l'humidité.

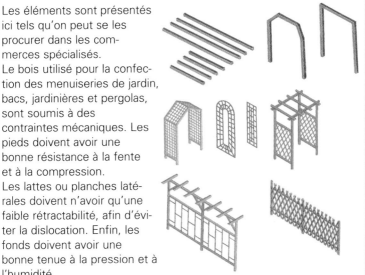

• Le châtaignier : triste d'aspect. D'une bonne résistance mécanique. Souvent les menuiseries sont vernies pour donner un aspect plus brillant au bois.
• Le chêne : bois assez lourd, durable, assez dur et difficile à travailler. D'une grande résistance mécanique. Reste cher.
• Le pin d'Oregon : se rencontre dans les fabrications d'importation, bois mi-lourd et mi-dur.
• Le mélèze : bois mi-dur, à rétractabilité moyenne, d'une bonne résistance mécanique, surtout utilisé dans l'Est.
• L'iroko : c'est le nec plus ultra. Utilisé pour les belles jardinières en continu et pour les grands bacs. Bois de substitution du teck, trop cher pour ce type d'emploi, bien qu'il soit le plus résistant en extérieur.
• Le Thuya géant du Canada : connu sous l'appelletion anglaise de Western red Cedar. C'est un des conifères les plus durables. Quelquefois employé dans la confection des bacs d'origine anglo-saxonne, pour les planches de parement en particulier.

Entre maison et jardin : la véranda

La véranda est une prolongation de la maison, une pièce à vivre supplémentaire qui est aussi un lieu privilégié qui permet de s'offrir une végétation tropicale à domicile.

Les Belges et les Anglais sont passés maîtres dans l'art de la véranda. Ces édifices vitrés n'ont plus rien à envier aux constructions prestigieuses d'antan. Toutefois leur prix est aussi en proportion avec les prestations qui sont offertes.

Tout à l'opposé, l'ancienne serre restaurée conserve un caractère bon enfant et peut permettre toutes sortes de cultures hâtées en fleurs, fruits et légumes.

Le site de la véranda

Dans la pièce vitrée proprement dite, des plantes tropicales ou méditerranéennes.

A l'extérieur :

1. Une séparation qui prolonge une des joues de la véranda avec petits massifs (pas de plantes grimpantes qui seraient difficiles à contrôler).

2. L'accès du jardin à la véranda en revêtement particulier : rappel de celui utilisé dans la pièce elle-même par exemple. Les bacs les plus lourds de plantes exotiques sont juste placés près de l'entrée.

3. Coin repos-méditation à l'extérieur. Noter derrière le banc quelques plantes de soleil, sur le seuil de la pièce (lavandes, graminées décoratives...).

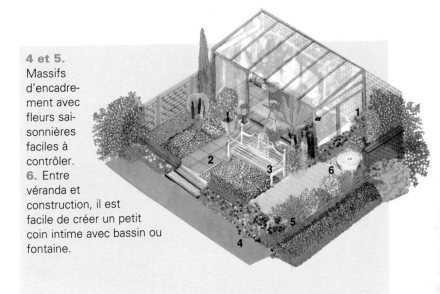

4 et 5. Massifs d'encadrement avec fleurs saisonnières faciles à contrôler.
6. Entre véranda et construction, il est facile de créer un petit coin intime avec bassin ou fontaine.

Quelques conseils pour l'environnement de la véranda

- Si vous achetez des arbustes ou des plantes en conteneur plastique dont les racines dépassent, c'est l'indice de produits qui ont séjourné trop longtemps sur le lieu de vente. Si le conteneur ne se désolidarise pas, laissez-le au sec quelques heures, dépotez-le et mettez-le ensuite à tremper une demi-heure.

- Les conteneurs et plants un peu secs d'aspect doivent au contraire être mis à baigner une bonne demi-heure avant mise en place dans les jardinières.

- Les bacs en matériau synthétique ou en bois ne sont pas adaptés au déplacement par glissement de la véranda à la terrasse. Bien qu'ils coûtent assez cher, placez au dessous des disques de type « Kigliss » pour faciliter le déplacement au sol sans ripper.

- Les claies et autres écrans en canisses de bambou fendu sont d'une esthétique très douteuse et peuvent être dans de nombreux cas remplacés par des claies en brandes, des éléments nouveaux en osier tressé ou des treillages synthétiques à petites mailles (Espacio-Celloplast). Ils accroissent l'intimité autour de la véranda et permettent de créer des atmosphères.

S'offrir le plaisir d'un point d'eau

Qu'il s'agisse d'un petit bassin préfabriqué, d'un mini-étang ou d'un simple trou d'eau, offrez-vous ce plaisir qui n'exige pas une trop grande connaissance technique.

1. La petite fontaine japonaise est à la mode ; elle peut être placée n'importe où dans le jardin et fonctionne par recyclage de l'eau à l'aide d'une petite pompe.

2. Une simple poterie non percée peut être transformée en mini-jardin aquatique d'extérieur, pourvu qu'il soit assez profond.

3. Ce bloc rocheux percé d'une canalisation recycle l'eau puisée dans un bac de réserve par une pompe. Le dessus du bac est masqué avec des galets. Un tel jeu d'eau tient sur moins de 2 m² et apporte beaucoup d'animation au jardin.

4. La petite fontaine à recyclage est proposée dans les points de vente spécialisés. Elle a sa place partout dans le jardin, de préférence contre un mur dégagé.

Quelques idées autour de l'eau

1. Une petite pièce d'eau alimentée par une cascade. Une surface de 5 à 10 m² est suffisante, mais un tel point d'eau peut aussi être conçu sur plusieurs dizaines de mètres.

2. Une petite chute avec effet de ruisseau.

3. Un petit pont autant présent pour la beauté du décor que pour une fonctionnalité réelle.

Les principales plantes du bord de l'eau

Les plantes représentées ici se contentent d'avoir de l'humidité à leur pied. Elles amplifient par leur aspect le site réel aquatique, même s'il est tout petit.

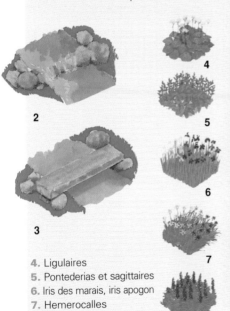

1

2

3

4. Ligulaires
5. Pontederias et sagittaires
6. Iris des marais, iris apogon
7. Hemerocalles
8. Lytrums (salicaires)

4

5

6

7

8

La fontaine décorative a sa place dans une cour, un patio, une terrasse. Elle n'occupe que peu d'espace et donne de la vie au décor. (Fontaine Forespace)

35

L'eau : trois cas courants

1. Ce que les paysagistes allemands apprécient le plus : une vasque camouflée par des galets, ou une fausse meule qui sert de réceptacle et un ajutage central qui diffuse l'eau de façon bouillonnante. Donne une impression rafraîchissante, mais n'est pas adaptée à la présence de plantes autres que linéaires comme les iris d'eau.

2. Le bassin inclus dans un cadre maçonné, ici avec exutoire, point de départ d'un ruisseau avec circuit recyclé. Les jardinières latérales peuvent être régulièrement humidifiées et accueillir des plantes des lieux humides et marais. Ce type d'installation ne nécessite que peu d'espace. Il peut, en circuit fermé, être prévu sur terrasse.

3. Le bassin traditionnel enterré. Le plus souvent ce sera un contenant en plastique autour duquel on va réaliser une margelle en maçonnerie. On peut avoir un fond à différents niveaux pour satisfaire les besoins des diverses catégories de plantes. Les nénuphars sont les plus exigeants et ont besoin de 45-50 cm d'eau pour fleurir et prospérer.

Le plan d'eau sur film plastique appelé liner est la meilleure des solutions pour créer une scène aquatique. On peut en effet régler la profondeur de l'eau sur mesure, même lorsqu'il s'agit comme ici de niveaux très faibles de quelques centimètres, et camoufler le fond avec des galets. La présence de poissons contribue à l'équilibre du milieu. Deux à trois mètres carrés suffisent.

Un décor très construit. Cette fontaine montée avec des éléments Bradstone et créée par Patrick Lhomme est aussi un jeu aquatique avec de l'eau qui peut sourdre sur les plaquettes, et des bassins plantés de diverses profondeurs. Il est important de jouer avec les diverses formes de feuillages linéaires ou au contraire très larges.

Faites les plans et projets de votre jardin à l'automne, et installez le bassin ou la fontaine au cours de l'hiver, surtout s'il est en pierre. La mise en place des plantes et des poissons se fait en fin de printemps.

• La solution la plus simple : le bassin coque en matière plastique. La coque en fibres de verre doit reposer sur un fond de forme en sable, pour amortir les diverses contraintes, de façon aussi uniforme que possible.

• Les vasques sont des petits bassins, en forme de demi-lune, ne contenant que peu d'eau et alimentés par une pompe de recyclage électrique. La vasque en pierre s'adosse de préférence à un mur à l'ombre, afin d'éviter le développement d'algues et de mousses inévitables sur le bord. Le bassin, lui, sera exposé en pleine lumière et surtout loin de tout arbre à feuilles caduques ou de pins, susceptibles de polluer l'eau à l'automne.

• Pour que l'eau d'un bassin reste limpide, il faut établir un équilibre entre sa vie végétale et sa vie animale. Les algues microscopiques qui se développent sont les responsables du déséquilibre dans le milieu liquide.

• Pour maintenir l'eau claire, introduire un certain nombre de plantes oxygénantes qui feront dépérir les algues. Elles contribuent à l'équilibre du

1. Le grand plan d'eau n'est plus une partie intégrante du jardin. C'est un décor à grande échelle, comme ici à Ungersheim en Alsace. La charpente des abords est constituée de trois parties suggestives : de grosses roches, du sable et quelques plantes qui suggèrent la présence de l'eau. Une barque échouée devient le site de développement d'une herbe aquatique. Nous sommes déjà ici dans le décor paysager.

2. A une échelle beaucoup plus réduite, ce que chacun peut faire chez soi dans quelques mètres carrés. Une descente garnie de roches et un réseau caché de recyclage de l'eau permet d'assurer le circuit fermé. Pour qu'un tel site soit viable, il faut déjà disposer de très belles roches à caractère régional de préférence. Les plantes qui croissent à proximité de l'eau bénéficient d'une humidité généreuse sans pourtant être noyées : astilbes, fougères, seneccio, rodgersias...

Ce site à Orléans-la-Source a 28 ans d'âge ; le pont est un prétexte créé autour d'une petite surface en eau de quelques dizaines de mètres carrés. Mais ce site, pourtant simple à réaliser, est tellement évocateur que, depuis, des milliers de jeunes couples y ont été photographiés pour leur mariage. Plantes d'eau, petit pont, plages miniatures, arbres panachés d'or au fond, sont autant de sites qui « font craquer » le particulier même si le paysagiste actuel trouve tout cela démodé.

bassin, en absorbant le gaz carbonique rejeté par les poissons et les autres plantes qui respirent. Les poissons enfin, en se nourrissant de microplancton, participent à la préservation d'une eau limpide.

• Entre la pièce d'eau proprement dite et le reste du jardin, prévoir une barrière de roseaux ou de bambous, qui feront une transition avec la végétation environnante. Les premières plantes immergées dans une faible profondeur d'eau seront les plus spectaculaires : papyrus, iris d'eau, iris du Japon, sagittaires, joncs fleuris... Ces plantes seront logées dans des bacs ou de grands pots. Les plantes fixées dans le fond du bassin ou localisées dans des bacs de terre immergés décorent le centre du bassin. Il s'agira essentiellement de nymphéas (nénuphars d'ornement).

Les plantes pour l'environnement du bassin

Végétaux ayant juste les pieds dans l'eau, les plus faciles à utiliser :

Acore • Butome • Calla des marais • Caltha • Iris d'eau • Menthe aquatique • Pontédérie • Rumex • Séneçon des marais.

Plantes immergées pour vrais bassins déjà conséquents :

Plantain d'eau • Nymphea • Lotus d'Egypte • Myriophylle • Nuphar (faux nénuphar ou N. jaune) • Grenouillaire • Trèfle d'eau • Faux nymphéa • Potamot • Renoncule aquatique • Sagittaire.

Les espaces de loisirs dans le jardin

Les jardins d'aujourd'hui, même chez les particuliers les plus fortunés, ne sont pas conçus pour être vus du haut des fenêtres d'un château, mais pour y vivre. Un espace destiné aux enfants peut être prévu mais il doit toujours être transformable en fonction de leur évolution dans le temps.

Rien de plus authentique qu'un coin de repos face à un bassin. L'eau a en effet un pouvoir visuel et sonore reposant. La question de la sécurité des enfants est résolue par la faible profondeur de liquide. La margelle en bois peint soutient les graviers de la petite allée. L'emplacement d'un banc dans le jardin relève de l'esthétique, mais surtout du confort. Il doit être situé au soleil pour bénéficier de celui-ci quand la journée n'est plus trop chaude. Un léger ombrage peut être bénéfique. Noter aussi que la présence de plantes odorantes à proximité, comme ici les tabacs d'ornement, peut contribuer à rendre le lieu encore un peu plus magique.

*Des petites notes et clins d'œil sont toujours appréciés. Ce petit héris-
son est destiné à recevoir les outils ou quelque objet à accrocher dans
le jardin. Quant aux brins de chiendent, on peut penser qu'ils ont voca-
tion de brossage. Dans le dessin du jardin, l'introduction de petites notes
pratiques de ce genre est toujours apprécié.*

Prévoir la place du barbecue

• La zone de chauffe d'un barbecue doit toujours être placée à au
moins deux mètres de toute végétation arbustive. Dans le Midi, les
conditions seront encore plus sévères. Vers le haut, la zone sans végétation doit être d'au moins trois mètres. Le barbecue ne doit pas devenir un élément majeur dans le jardin. Sa place doit être assez logique
par rapport à l'espace où l'on va déjeuner.

• Les conifères étant très inflammables, proscrire leur plantation à
moins de 5-6 m d'une zone où l'on fait du feu. Il est vivement décon-
seillé d'implanter un barbecue sous une pergola en bois ou à proximité

d'une serre ou d'une véranda à
cause de la condensation et des
fumées.

• A côté du barbecue proprement
dit, il est utile de prévoir une surface de travail maçonnée ou mobile,
pour poser les aromates et les ali-
ments à préparer.

*L'espace autour de la cheminée.
C'est le schéma classique, un peu
rigide, comme on le concevait il y
a une vingtaine d'années. A
gauche, le barbecue et l'espace
terrasse pour le déjeuner et le
repos. Tout le travail de dessin est
dévolu au dallage. La végétation
est plantée de manière régulière
mais sans recherche particulière.*

41

L'espace des jeux

La place à accorder aux jeux de jardin est fonction des goûts de chacun, et souvent de la présence ou non des enfants.

• Le coin de jeux des enfants
- Les petits doivent rester visibles de la maison, soit de la cuisine, soit du séjour.
- Le bac à sable et la pataugeoire doivent être accessibles par un chemin dallé pour permettre un lavage plus facile, sans problème après les ébats. Le bac à sable de forme rectangulaire ou ronde aura une profondeur de 50 à 60 cm, avec une épaisseur réelle de sable de 20 à 30 cm.
- A la campagne ou en lotissement, il est utile de prévoir un filet plastique, un grillage ou tout autre moyen de protection afin que les chats n'aillent pas polluer le sable.

• Prévoir le bac à sable avant l'engazonnement du jardin, car l'apport de sable s'effectue par camion : 3 à 5 m³ sont un minimum.

• Si on prévoit des agrès tels qu'une balançoire, ne jamais les placer sur l'aire où jouent les petits à cause des risques d'accident : la balançoire est dangereuse.

• Un bassin pataugeoire a toujours du succès au cours des mois d'été. Prévoyez-le de forme ronde, ou oblongue, avec fond carrelé et garni d'une matière antidérapante. Sa profondeur ne doit pas excéder 20 à 25 cm d'eau. Le bac à sable doit se situer en plein soleil, avec au besoin un petit écran pour briser l'excès de luminosité l'après-midi (claies, stores, toiles...).

Le coin de jeu des enfants doit se diviser en deux parties : celle des tout-petits où l'on pose son derrière par terre et celle des plus grands qui accorde place aux jeux plus turbulents. L'un et l'autre doivent être séparés. Les bacs de jeux en kit menuisés sont disponibles dans le commerce.

Jeu de boules

La piste a de 20 à 27,50 m de long et 2,50 à 4 m de large. La fondation est constituée de briques et tessons cassés et pliés, puis on recouvre ce hérisson de machefer. La surface de roulement est un mélange de calcaire et de sable de rivière compacté au rouleau mécanique. Sur les côtés, prévoir des planches posées sur chant (plus élastiques qu'une bordure de béton) et à chaque bout un muret de bastings ou de traverses de chemins de fer. La hauteur des butoirs aura de 0,50 à 0,80 m.

Pour que la piste de boules ne jure pas trop avec le reste du jardin, vous pourrez toujours l'entourer d'une petite haie de verdure.

Le banc de jardin n'est pas seulement un meuble, c'est aussi un point de rencontre. Le choix d'un modèle soigné et cher, comme ici, suppose que le reste du décor suive. La couleur dite vert sauge ou vert provençal est très à la mode car elle s'accommode bien avec la teinte des plantes sans rivaliser.

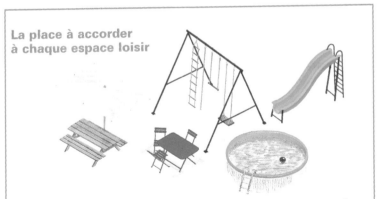

La place à accorder à chaque espace loisir

Table de repas et parasol : 10 à 12 m² minimum. Optimal : 15 m² pour 6 personnes • Petite table avec chaises : 6 à 10m² • Portique de jeux : 20 à 25 m², selon l'importance avec au minimum gazon tendre au dessous • Piscine gonflable : minimum 20 m² (avec espace d'ébats à proximité) • Toboggan : une zone de passage latérale d'1 m est suffisante de chaque côté mais un espace dégagé de 1,5 à 2 m à l'avant est souhaitable.

43

L'éclairage du jardin

On lui reconnaît aujourd'hui deux fonctions distinctes : permettre les communications de nuit sans problèmes et participer au décor à l'ambiance, soit pour le plaisir de l'œil, soit pour prolonger tard les belles soirées d'été.Tel arbre en apparence ordinaire de jour peut s'embraser la nuit venue grâce à un spot bien placé. L'éclairage de prestige ne doit pas concurrencer celui d'ambiance destiné à l'éclairage des communications.

Comment dessiner votre installation d'éclairage ?

Les câbles suivront les contours extérieurs ou les murs afin de ne pas avoir à retourner tout le terrain à la mise en place.
• Mieux vaut programmer simultanément la mise en place de prises destinées à la tondeuse et à la cisaille électrique. Faire un plan de câblage électrique qui se superpose avec le plan général du jardin. Cela évitera de mauvaises surprises futures lors de travaux importants.
• Le choix des lampes :
- Les lampes fluorescentes compactes ont un excellent rendement lumineux et une faible consommation. Elles seront employées pour l'éclairage des allées, des parkings et pour la façade de la maison. Attention toutefois, elles éclairent moins par temps froid et ont un petit temps d'adaptation.

- Les lampes à vapeur de mercure ont une tonalité chaude et peuvent être employées n'importe où au jardin. Elles existent dans des puissances de 50 à 400 watts et ne fonctionnent bien qu'en éclairage constant (elles nécessitent un temps de réallumage).
- Les lampes à vapeur de sodium sont des sources lumineuses puissantes. Elles donnent un aspect doré aux plantes dans le cas des modèles à haute pression tandis que les lampes basse pression procurent une lumière monochromatique orangée. Elles permettent d'obtenir des effets nocturnes fantastiques.

Les luminaires se placent le long des allées, des escaliers, des parkings. Pour les massifs de fleurs et les arbustes, les points lumineux doivent toujours se situer à une quarantaine de centimètres de distance des végétaux. Dans le cas d'un arbre ou d'un grand

44

conifère, l'éclairage doit être prévu par le dessous, afin de bénéficier au maximum des effets de contrastes. Utilisez les lampes à lumière blanche pour les bouleaux et les teintes argentées. Dans les bassins, prévoyez des projecteurs immergés étanches.

L'éclairage très basse tension est proposé en kit avec des câbles et des luminaires alimentés en 12-24 volts. L'avantage du système est d'être simple à poser. Son inconvénient réside dans le pouvoir lumineux assez moyen de ces matériels. A considérer comme éclairage d'ambiance.

Lanterne traditionnelle style Louis XIII, pour éclairage de passages et allées en grande propriété rurale. Ne procure pas d'éclairage diffusant, plutôt choisie pour accentuer l'aspect d'un site.

L'éclairage stylisé, ici une lanterne japonaise, n'est valable que dans un décor réellement reconstitué d'une ambiance très particulière. A utiliser avec modération.

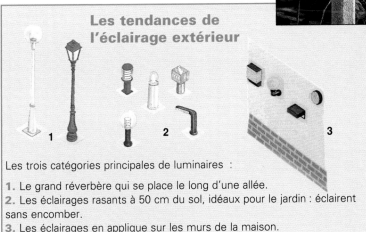

Les tendances de l'éclairage extérieur

1

2

3

Les trois catégories principales de luminaires :

1. Le grand réverbère qui se place le long d'une allée.
2. Les éclairages rasants à 50 cm du sol, idéaux pour le jardin : éclairent sans encombrer.
3. Les éclairages en applique sur les murs de la maison.

Les plantes et les arbres dans le dessin du jardin

Il ne peut y avoir de jardin sans végétaux. L'art de savoir bien les utiliser est aussi important que de bien connaître leurs exigences et leurs propriétés. Dessiner son jardin, c'est aussi établir un programme d'utilisation des plantes.

Les plantes en bacs et en pots

Elles permettent d'accentuer le dessin du jardin, d'utiliser des formes de plantes de grand gabarit, de faire des cultures sur mesure, mais elles reviennent cher et exigent des soins plus attentifs que les plantations en pleine terre.

1. Les jolis bacs qu'on nous propose depuis quelques années pour une riche clientèle citadine ne doivent pas faire oublier que, si on les place dans un cadre citadin, il faudra les protéger en hiver ou alors choisir des végétaux d'une rusticité à toute épreuve. A titre indicatif, rosiers et glycine peuvent geler sur terrasse à -15°. Les bacs permettent la culture des lauriers roses, des orangers et citronniers pratiquement en toutes régions, pourvu qu'on puisse les mettre à l'abri du gel en hiver. 2. Les cultures en pots dans un jardin permettent de surveiller et d'apprécier des plantes exotiques, ou de créer des effets ne serait-ce qu'avec des géraniums. Dans la majorité des cas, il faut envisager de les rentrer en hiver, et leur prodiguer des soins attentifs en saison.

sibles aux courants d'air, qu'ils soient chauds ou froids. Dès qu'on les place dans des contenants hors sol, il faut prévoir un mélange terreux qui conserve bien l'eau. La couverture des sols avec des écorces de pin joue ici un double rôle : le décor et la diminution de l'évaporation.

1. Les belles jardinières pour terrasses en bois exotique sont laissées en place en permanence ; ce sont donc les végétaux eux-mêmes qu'on remplacera ou qu'on déplacera en fonction des saisons. Noter ici rosiers et érable du Japon qui ne peuvent être placés en jardinière fixe qu'en situation protégée.

2. Les potées et suspensions saisonnières font partie de ces décorations précieuses et attachantes qu'on prépare pour le printemps, pour l'été (ici) puis pour l'arrière-saison. Il faut un mélange et un conditionnement qui évitent les trop fortes pertes d'eau.

3. Les érables horticoles japonais ou de type panaché sont sen-

Choisir vos arbres et les planter au bon endroit

Vous trouverez dans les multiples catalogues et ouvrages de jardinage les informations sur les conditions de sol, les besoins climatiques et l'entretien. Notre but dans ce petit guide est de vous aider à bien les utiliser.

• Tout arbre qui entre dans un jardin devrait, avant d'être planté, faire l'objet d'un plan de plantation, tenant compte de son voisinage immédiat, du passage du soleil d'est en ouest et de sa taille adulte.

• Il vient avant les arbustes et toutes autres plantes. Sans lui, les constructions sont sans valeur. Il conditionne l'usure future du terrain, les effets du vent et la luminosité du jardin.

Ce que vous pouvez attendre des arbres :

- La ramure et le tronc peuvent séduire par leur forme pittoresque ou leur rectitude, par l'aspect de l'écorce et sa couleur.

- Le feuillage par son dessin, sa couleur et son parfum.

- La floraison et sa fructification sont aussi des plus intéressantes. Ces effets se succèdent au fil des saisons : c'est d'abord l'aspect juvénile des rameaux printaniers ou des bourgeons, puis le plein épanouissement du feuillage, et enfin les couleurs d'automne, auxquelles succèdent les fructifications. Enfin, durant l'hiver, écorce et ramure affirment leur personnalité.

Les conifères, par leur feuillage persistant, sont bien tentants. Quand on parle de sequoias ou de cèdres, on sait qu'ils peuvent devenir immenses, mais beaucoup d'espèces courantes comme les thuyas peuvent aussi devenir très encombrantes. Pensez à leur accorder beaucoup d'espace.

Les arbres feuillus, en particulier ceux à feuillage panaché, gagnent à être isolés ou placés dans une perspective visuelle. En dehors du diamètre de la ramure proprement dite, quand on prévoit son emplacement, penser également à son ombre portée.

Exploitez la forme des arbres et leur couleur

Ces divers types de végétaux sont représentés ici dans leur gabarit relatif les uns par rapport aux autres.

1. Les conifères
Ces représentations schématiques donnent les grandes tendances des formes et couleurs pour mieux associer les arbres entre eux (de gauche à droite) :
Cèdre • Pin (dans sa forme jeune) • Picea • Chamaecyparis • Genévrier. Ces deux derniers types sont plus spécialement destinés aux petits jardins.

1

2. Les feuillus (de droite à gauche) :
Saule pleureur • Hêtre pourpre • Catalpa • Erable du Canada • Bouleau pleureur • Cytise • Charme pyramidal. Ces trois derniers types sont plus spécialement destinés aux petits jardins.

2

Ces dessins figurent les principales formes de conifères dont vous pouvez disposer dans des gabarits allant de 0,5 m à 3 m.

1. Genévriers, pins de montagne, if et chamaecyparis, très multiformes avec de très nombreuses variétés, sont les principales essences utilisables dans des petits jardins.

1

2. Les formes coniques ou colonnaires peuvent être plantées près de la maison. Il est facile avec ces essences de créer à partir de cinq à six sujets des scènes végétales permanentes.

2

• Selon que l'arbre est placé dans un décor de proximité ou qu'il fait partie d'un ensemble, on exploitera l'une ou l'autre de ses propriétés, ou toutes successivement.

Les arbres et le style de votre jardin

• Dans le jardin de style japonisant, les pins d'un côté et les bambous de l'autre seront plus ou moins à l'honneur. La terre acide sera favorable aux fougères, azalées et autres plantes que nous baptisons de « terre de bruyère ».

• Dans le jardin de rocaille, c'est le pin sous ses formes multiples qui est le plus adapté à ce type de paysage. La rocaille qui veut imiter le paysage montagnard des Vosges, des Alpes du Nord ou de l'Auvergne est plutôt humide ; c'est l'épicéa sous ses formes naines qui est le plus recommandé. Il y a des arbrisseaux avec lesquels on est à peu près sûr de ne pas se tromper : les pins nains - on l'a vu - mais aussi les genévriers et les piceas. Plus on choisira des formes prostrées et trapues, mieux cela sera. Ces arbrisseaux peuvent s'accompagner de bruyères et de myrtilles, les premières au soleil, les secondes à l'ombre.

L'arbre en haie et clôture

- La haie bocagère

Ce genre de haie, réglée à 2,5-3 m de haut, est moins étanche à l'air que la haie taillée ; aussi est-elle moins gênante au niveau des ombres portées. Elle est constituée de ce qu'on appelle des arbres de haut jet associés à des arbustes. Ne pas prévoir dans ces plantations d'espèces rares ou coûteuses ; leur réussite tient plus de l'astuce du planteur que du prix des plants. Il vaudra mieux les choisir jeunes et à croissance rapide.

- Le rideau d'arbres

Traditionnel pour la protection des cultures, dans les zones venteuses, le rideau d'arbres peut être planté de conifères, comme le cyprès, ou de feuillus, comme le peuplier. A l'échelle plus modeste des jardins contemporains, on choisit des types moins encombrants verticalement, mais dont les effets protecteurs sont plus limités.

- Les arbres et arbustes plantés en haie taillée

La haie taillée aux formes bien régulières fait appel très souvent à des espèces de conifères telles que les thuyas ou les cupressus. Ces végétaux sont artificiellement formés en haie, par des tailles répétées qui les maintiennent très en-dessous de leur gabarit normal : la majorité des conifères pour haies atteindrait sans émondage 8 à 15 m de haut.

La haie taillée fait partie du paysage dessiné, elle sépare deux espaces de façon nette. Si elle

Les végétaux de terre de bruyère

Ils sont très utilisés pour leur grand caractère décoratif dans les jardins urbains contemporains. Ces petits schémas de gabarit donnent les proportions respectives des diverses catégories de végétaux :

1. Série des pieris, kalmias et tapis de bruyères.
2. Erables du japon, camélias, kalmias, azalées japonaises (à feuillage persistant).
3. Azalées à feuilles caduques, rhododendrons, fougères, tapis de myrtilles et gaultherias.

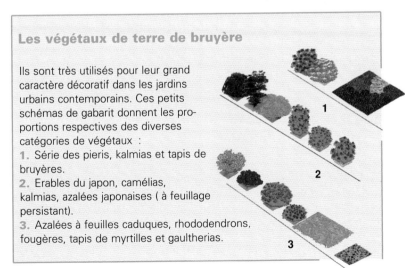

est trop haute, elle a l'inconvénient de créer artificiellement des zones d'ombre ; de plus, elle nécessite un entretien régulier, une ou deux fois l'an au minimum.

Les haies denses , en dehors des thuyas, sont obtenues avec des ifs, des cupressus. Les arbrisseaux, comme les lauriers du Caucase, permettent la constitution de haies qui peuvent avoir entre 2 et 3 m de haut. Avec le charme, on obtient des charmilles taillées avec régularité, aux mêmes hauteurs. La charmille, très dense en été, devient plus claire en hiver.

Les arbrisseaux pittoresques

A prévoir en priorité dar
Des espèces de cytises
de prunus et autres
cerisiers d'ornement
ont l'avantage d'avoir
des floraisons très
somptueuses au prin-
temps et de conserver
un gabarit correct, tout
en ayant des ports
variés : en colonne, en
boule ou pleureur. Les
rhus, certains types
d'érables asiatiques, les
figuiers ont également (
encombrement restrein

Les arbres peuvent créer des **zones de remous** à proximité des maisons (dessin du haut), mais quand ils sont accompagnés de groupes d'arbustes, ils procurent une atmosphère de calme en évitant ces phénomènes, en refoulant le vent vers les parties hautes et en évitant les passages sous frondaisons.

Un catalogue vivant des espèces pour haies. Vert ou doré, le conifère accepte les tailles régulières. Ce genre de composition permet de panacher une haie persistante traditionnelle.

Deux façons de voir la haie

La haie séparative peut être un prisme qu'on taille plusieurs fois par an ou un alignement d'arbustes li[intéressants pour leur leurs fleurs. On peut même sur de grandes longueurs prévoir une forme prismatique continue ponctuée ici et là de bosquets fl[s'épanouissant en cas[

la haie libre

**la haie
taillée rectiligne**

Les arbustes d'ornement

Ils sont la véritable charpente du jardin. Ils peuvent n'avoir qu'une mince ramure chez les lavandes, être grimpants ou tapissants comme le lierre, ou être prestigieux par leur floraison comme les azalées et de nombreuses espèces. Certains ont une place à part comme les rosiers.

Plusieurs catégories en matière d'usage :

• **Les arbustes à feuillage persistant** : à l'exception des rhododendrons, ils sont surtout recherchés pour la permanence de leur aspect coloré (vert panaché ou pourpré). Ils sont utilisés en haie, en groupe ou pour masquer une partie peu attrayante de l'environnement. On peut aussi les choisir pour souligner une forme.

La géométrie des arbustes à feuillage persistant taillé (buis, conifères, fusains) contribue à dessiner avec une grande précision les jardins bien ordonnés.

• **Les arbustes à feuillage panaché ou coloré** (doré, pourpre, blanc) s'emploient indifféremment isolés ou en petit groupe. Leur couleur permet d'obtenir des contrastes sur le fond vert d'une haie par exemple.

• **Les arbustes à fleurs** ont une période faste chaque année, mais qui ne dure que quelques jours, tout au plus quelques semaines. Ils doivent être de préférence isolés ou employés en petits groupes afin d'accroître l'effet spectaculaire momentané. Deux grandes périodes de floraison pour les arbustes : le printemps (mars - juin) et l'été (juin - septembre), les floraisons hivernales étant tout à fait subsidiaires.

Prévoir, dans un programme de plantation d'arbustes, leur entretien futur, la taille en particulier qui demande du temps et de la technicité.

De bonnes recettes pour de bons résultats

Sans être paysagiste , appliquez ces simples règles de bon sens :

• Les arbustes taillés à feuillage persistant placés au fond d'une scène de jardin valorisent les fleurs aux couleurs douces ou vives, dont les formes sont très dessinées.

• Entre deux arbustes de couleur forte (le pourpre d'un noisetier et le jaune d'or d'un cytise, par exemple), le blanc et le gris sont des nuances intermédiaires utiles. Les bons catalogues donnent de plus en plus souvent des

classements des végétaux par coloris du feuillage en dehors des floraisons. Ceci simplifie le choix de l'acheteur.

• Les végétaux à très grand feuillage, qu'il s'agisse d'arbres, d'arbustes ou de plantes vivaces, gagnent toujours à être isolés.

• Les formes érigées, droites comme des i, soulignent les angles des constructions, permettent d'encadrer des allées ou de jouer les contrastes sur des plantes basses.

• Le passage du soleil dans le jardin, d'est en ouest, peut aussi être exploité par le jeu des contre-jours et des ombres qu'il procure. En général, il filtre bien au travers des feuillages ténus ou dorés.

• Dans un projet de plantation, il faut jouer la diversité avec modération :
- Accorder une place aux arbres feuillus caducs toujours plus importante qu'aux persistants. Ces derniers, s'ils sont colorés

Les formes taillées en arceaux sont assez faciles à dessiner avec de la charmille. Convient bien à tous les styles de jardins. Idéal pour séparer deux enclos d'un même jardin.

Les végétaux taillés, plantés en association, permettent d'obtenir des effets de décor permanent, comme dans ce jardin méridional. Ce type de décor demande beaucoup de travail d'entretien ; en tenir compte dans le projet de plantation.

toute l'année, ont une ombre trop dense en hiver et ne permettent pas un renouvellement saisonnier du décor.

- La place accordée aux conifères doit rester modérée.

- Enfin, les plantes vivaces et les bulbes doivent toujours faire partie du programme global et ne pas être apportés après coup.

En résumé

Pour ne pas vous tromper :

- La surface de la partie décorative (arbustes, fleurs) doit être fonction de vos possibilités d' entretien : temps disponible ou faculté de trouver une aide efficace ; budget pouvant être accordé à ce poste. Cette partie est le « salon du jardin » et se doit d'être impeccable.

- Si votre terrain est trop grand, cette partie décorative, parfaitement soignée, en constituera l'avant-scène, en liaison avec la maison qu'elle côtoie.

- L'arrière-plan, vu habituellement de plus loin, pourra être traité de façon beaucoup moins stricte : là, les percées profondes, suivant les axes de vue et les volumes colorés, ont beaucoup plus d'importance que les détails.On l'obtient économiquement avec des arbres à grand développement, judicieusement choisis et disposés, répartis sur fond de pelouse où quelques taches de fleurs vivaces ou d'arbustes mettront, çà et là, une note de couleur vive. L'entretien se bornera alors pratiquement à la tonte périodique du gazon, facile à effectuer avec une machine appropriée.

Les diverses formes des arbustes de jardin les plus courants

Leur taille varie de 50 cm à 2 m de haut.

1. La plantation le plus souvent à trois étages.

Ce système de décor végétal à trois niveaux s'applique à tous les jardins contemporains.

- Au premier plan : des plantes tapissantes, des bulbes ou des arbustes bas, à caractère couvre-sol.
- Au second plan, tous les arbustes et arbrisseaux selon l'échelle du décor.
- Et enfin, en arrière-plan, quelques grands arbres ou des boqueteaux.

2. Le jardin régulier

- L'apport contemporain se manifeste par les groupements végétaux rectangulaires ou carrés dans lesquels les arbustes retrouvent une certaine liberté. Dans le décor régulier, la haie taillée reprend toute son importance. Les arbres, mêmes ceux à fruits, sont à leur place, quand ils sont en bacs ou en espaliers (orangers, citronniers, pommiers, poiriers).

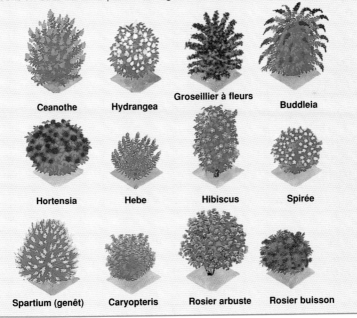

Ceanothe	Hydrangea	Groseillier à fleurs	Buddleia
Hortensia	Hebe	Hibiscus	Spirée
Spartium (genêt)	Caryopteris	Rosier arbuste	Rosier buisson

Le principe de composition du jardin actuel. Au dernier étage à l'extérieur : les arbres ; au second : les arbustes et au premier plan : les fleurs ; le tout agencé autour d'une pelouse constituant l'élément de liaison du décor.

La composition classique de formes taillées dans les grands espaces incite les jardiniers contemporains à utiliser les places disponibles pour planter des formes plus libres.

Les arbustes peuvent aussi être associés aux plantes saisonnières ou aux plantes vivaces. Ici, on recherche des effets de couleur, et les sous-arbrisseaux (petits buissons de lavandes et autres tapissantes) viennent en premier plan.

Toujours dans l'esprit de la composition contemporaine du dessin des jardins : le contraste entre des touffes de graminées, en somme de grandes herbes, et les conifères en second plan.

Les plantes grimpantes et à palisser

Les formes palissées peuvent être des arbres fruitiers, des plantes grimpantes, dont les rosiers. On dirige leur forme en hauteur et en longueur sur un support qui peut aussi contribuer au décor, comme ici ces portiques très élégants au jardin du Coudray.

Les plantes grimpantes et leur personnalité

1. Les **vignes vierges** avec une coloration automnale flamboyante sont à utiliser chaque fois qu'on souhaite camoufler de grands murs assez laids. Croissance rapide, taille nécessaire. Toutes ne s'accrochent pas d'elles-mêmes. Soleil ou mi-ombre.

2. Les **glycines** sont probablement les plantes grimpantes décoratives les plus spectaculaires avec leur splendide floraison de juin. A utiliser sans restriction en palissage, habillage de tonnelle, de clôtures à condition de bien en maîtriser la végétation. Soleil.

3. Les **bignones** et **tecomas** : à surveiller comme le lierre au niveau de la végétation. Prospèrent parfaitement dans l'Ouest et le Midi. Même type d'usage décoratif que les glycines mais plus tardives. Soleil.

4. Les **clématites** : plantes splendides, à palisser , faciles à guider mais de végétation assez capricieuse. Peuvent être utilisées sur terrasse. Soleil avec ombrage au pied.

5. Les **rosiers grimpants** sont en fait sarmenteux et doivent être palissés sur un support. Tous usages au soleil.

6. **Chèvrefeuille**, à palisser comme les clématites. Pour décor à mi-ombre et soleil. Convient bien aux jardins rustiques.

7. Les **clématites à petites fleurs** ont une végétation différente de celles à grandes fleurs. Beaucoup plus généreuses et brouillon, elles méritent d'être employées pour le garnissage de treillages et de murs.

8. Les **lierres** sont difficiles à contrôler, à n'utiliser que sur des murs dont on peut surveiller la couverture végétale (taille et mode d'attachage). S'accrochent d'eux-mêmes. Ombre et mi-ombre. Attention, peuvent aussi être envahissants au sol. Ce qui les fait employer parfois comme couvre-sol.

1

2

3

4

5

6

7

8

Les plantes grimpantes : sur quoi les utiliser en fonction de leur type de végétation

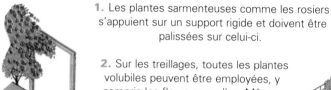

1. Les plantes sarmenteuses comme les rosiers s'appuient sur un support rigide et doivent être palissées sur celui-ci.

2. Sur les treillages, toutes les plantes volubiles peuvent être employées, y compris les fleurs annuelles. Même si elles n'ont pas le pouvoir de s'attacher, elles se maintiennent par enroulement. Occupent parfois plusieurs mètres.

1

2

3. Les plantes à feuillage panaché très décoratif comme le lierre gagnent à être utilisés en décoration des murs.

4. Les plantes que l'on guide, comme les glycine la treille, peuvent être pa long d'un support horizontal.

3

4

Les arbres fruitiers sont palissés pour des raisons différentes de celles ▷ *des grimpantes. Il s'agit ici de gagner de la place en épaisseur pour obtenir les meilleurs rendements dans peu d'espace. L'introduction d'arbres fruitiers en formes palissées dans un jardin donne un tracé rigoriste qui permet souvent de séparer la partie utilitaire (légumes et petits fruits) de la partie décorative. L'inconvénient des arbres fruitiers palissés est qu'ils sont chers et nécessitent plus d'entretien qu'une haie qui remplirait le même rôle.*

C'est en général quand on dispose de peu de place qu'on a le plus d'idées pour exploiter les plantes. La treille en façade, reposant sur des potences, est une solution d'habillage qui accompagne les décors bon enfant des potées fleuries, tout en procurant fruits et ombrage.

Le programme fleurs :
le plus séduisant du jardin

Les fleurs font le charme du jardin. Elles se divisent en grands groupes qu'il est bon de connaître afin d'en tirer le meilleur parti. Un jardin qui n'est fait que de fleurs peut paraître brouillon ou sauvageon , mais s'il n'en a pas, il est triste.

Les plantes vivaces disparaissent en hiver mais refleurissent tous les ans. Il est indispensable de les employer largement pour ponctuer l'année de notes fleuries explosives. Deux grandes saisons de floraison : printemps et courant d'été, mais de courte durée. A associer aux arbustes. Il existe des vivaces de toutes tailles. Consulter les catalogues spécialisés.

Les bulbes à fleurs ont deux périodes de floraison caractérisées : le printemps et l'été. Les bulbes de printemps : narcisses, tulipes, jacinthes et autres petits bulbes (muscaris, crocus, iris bulbeux) sont plus indispensables que ceux d'été car, à l'époque de leur floraison, il n'y a pas grand choix dans le jardin.

Les fleurs d'été : on peut les diviser en deux caté-gories, les fleurs annuelles et les plantes molles. Les premières sont obtenues à partir de graines et offrent une décoration florale facile et généreuse pour tout l'été. On peut se les procurer en plants. Elles garnissent les jardinières et constituent des massifs assez faciles. Les secondes sont des plantes vivaces non rustiques qui se multiplient en quantités par bouturage (géra-niums, fuchsias) et qu'on utilise surtout en jardinière.

Les vivaces non rustiques : beaucoup de ces plantes, merveilleuses dans le Midi, ne résistent pas aux fortes gelées. Elles sont aujourd'hui proposées dans des jardineries d'autres régions et il faut veiller à ne pas les laisser exposées au froid (dimorphotecas, gazanias, agapanthes...). Leur préférer un espace du jar-din bien exposé et prévoir de les mettre à l'abri en hiver.

Une floraison sans cesse renouvellée : celle du Château de Saint-Jean de Beauregard. L'association intelligente de plantes molles, d'annuelles aux aspects pittoresques, font de ces massifs et plates-bandes les plus beaux décors saisonniers qui soient. Modèle à suivre.

Les pelouses et plantes couvre-sol

Quelle que soit la conception du jardin, il ne peut être équilibré s'il ne comporte pas une certaine surface dévolue au gazon, pour le plaisir de l'œil et celui de se promener dans son jardin. Dans la hiérarchie des travaux, il est moins fatigant de suivre la tondeuse que de passer la cisaille à haie, et encore moins que de labourer. Organisez votre jardin en conséquence.

Des idées à suivre

• Prévoir le maximum de surface en gazon ou pelouse ordinaire. En dépit des tontes, ce sera une partie du jardin facile à suivre, surtout pour des surfaces inférieures à 500 m². Toutes proportions gardées, cette partie du jardin est celle qui nécessite le moins d'entretien.

• Ne prévoir qu'un minimum de végétaux délicats à tailler, qu'il s'agisse de bordures ou de haies. Une haie taillée de quelques mètres est supportable ; si elle atteint plusieurs décamètres, elle impose un temps d'entretien considérable.

• La plantation des arbres demandera toujours un temps de réflexion. Pour simplifier l'entretien, prévoir sous les arbres des surfaces de plantes tapissantes et couvre-sol.

• Regrouper les arbustes entre eux, en bandes ou massifs homogènes pour simplifier l'entretien.

Le grand tapis vert d'une belle propriété rurale est déjà tout un paysage en soi. Mais plus la surface de la pelouse est petite, plus il faut être exigeant sur la manière de la traiter.

• Faire un large emploi des plantes à bordures qui ne nécessitent qu'une taille d'entretien et qui constituent une limite simple entre pelouse et surfaces minérales : allées, escaliers, terrasse.

• Ne pas essayer de conquérir tout l'espace gazonné disponible en plantant des arbres et arbustes un peu partout, pour « combler les vides », ceci particulièrement dans un jardin de lotissement.

• Dans un petit jardin, prévoir un tracé aussi simple que possible pour le gazon. Eviter de diviser l'espace en de trop nombreuses surfaces. Penser aux trois problèmes principaux : accès (allées, escaliers), séjour (coin repos, terrasse), décor (tout le domaine végétal).

• A l'ombre, ne prévoir du gazon que si le site reçoit quelques heures de soleil par jour, sinon celui-ci sera chétif. Les tapis de lierre employés en couvre-sol sont sombres et difficiles à gouverner ; mieux vaut leur substituer des plantes moins envahissantes (voir pages suivantes).

• Eviter de couper l'espace en deux parties égales, prévoir des communications latérales. Dessiner une pelouse ou des plates-bandes et des massifs aux tracés compacts contrebalançant les défauts de formes initiaux .

1. Les passages en dalles dans le gazon incitent à préférer leur passage à pied sec, à condition que leur placement ait été bien étudié. Ici par exemple, le tracé des passages dallés indique plus une direction à suivre qu'une incitation à les emprunter.

2. Dans les jardins de petites dimensions, on peut substituer avec bonheur des passages gazonnés aux allées construites. Toutefois, il faut donner un peu d'ampleur au dessin : des passages de 1,5 à 2 m de large sont préférables à de petits passages.

Les précautions à prendre dans la conception d'une pelouse

• Prévoir des espaces neutralisés sans pelouse pour simplifier l'entretien du gazon aux points critiques suivants : bordure de clôture, pied de mur.

• Le gazon en bordure de terrasse ou de passage ne doit pas être en dévers ; une surface intermédiaire pour le passage de la tondeuse est souhaitable.

• Ne pas prévoir de pelouse jusqu'au pied des arbres, de même prévoir une zone neutre entre les bandes d'arbustes et le gazon.

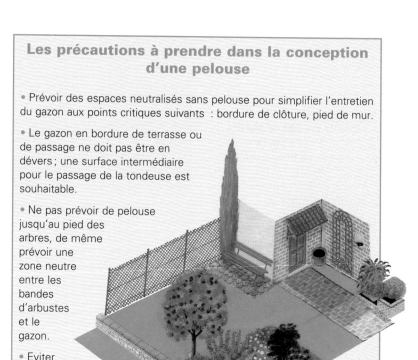

• Eviter de semer un gazon sur de très petites surfaces ; préférer alors les plantes couvre-sol.

La tiarella fait partie de ces plantes couvre-sol qu'on peut utiliser en tapis, en ne coupant ce qui devient trop haut qu'une ou deux fois l'an. Ces plantes donnent des effets de tapis aux coloris variés, comme le montrent les schémas de la page suivante.

Les plantes couvre-sol

Qu'est-ce qu'une plante couvre-sol ? Il s'agit de plantes vivaces ou de très petits arbustes qui ont trois propriétés intéressantes :
-Tracer et couvrir des surfaces assez importantes à partir d'un seul pied.
- Ne pas monter trop haut (30 cm tout au plus) pour conserver l'aspect de tapis ou de touffes qui, plantés serrés, cachent complètement la terre.
- Ne pas nécessiter de tonte régulière, réduire l'entretien à sa plus simple expression.
Les plantes couvre-sol peuvent être utilisées au jardin pour confectionner des tapis verts ou colorés de petites dimensions, des damiers, au niveau de l'aménagement paysager. Mais leur rôle est surtout de remplacer le gazon partout où l'entretien de celui-ci devient scabreux : très petits espaces, pentes très fortes, formes compliquées difficiles à tondre. Enfin, certaines plantes résistant à la sécheresse, et dites de rocaille, peuvent être utilisées en couvre-sol sur des surfaces très pauvres (ensablement de terrasse par exemple).

La texture et l'aspect d'un tapis où l'on a planté des couvre-sol sont assez variés :

Epimedium

Gaultheria

Pervenche

Conifères tapissants

On peut y ajouter les pachysandras, les lamiers, les véroniques et le lierre.

Le jardin gourmand des fruits et légumes

C'est une façon moderne de baptiser le jardin qui associe légumes, condimentaires, fruits et même les fleurs à couper dans une ambiance sympathique.

Comme aujourd'hui la place est de plus en plus comptée, il faut repenser entièrement la conception de ces parties traditionnelles du jardin. Le jardin gourmand ne sera pas destiné à nourrir toute la famille comme le potager d'autrefois, mais simplement à sélectionner des produits frais, plus goûteux que ceux que l'on trouve dans le commerce.

Quelques bonnes idées à suivre

• Le coin de quelques mètres carrés ou le jardin de 100 à 200 m² gagneront toujours à être conçus selon un tracé simple, en carrés de culture. Les allées seront en croix avec une périphérique rendant toute zone cultivée accessible.

• Le jardin gourmand sera consacré en premier aux herbes culinaires : persil, menthe, cerfeuil, thym, laurier, cerfeuil, ciboule, ciboulette plantés en bordure ou en rang selon les besoins de la famille. Aux angles, ou en des endroits où elles ne gênent pas,

seront plantées les espèces qui prennent du volume : céleri vivace, fenouil, ou même un ou deux pieds d'artichauts. En zone froide, le laurier peut être cultivé en bac ou grand pot et rentré en hiver.

• Une bande de terrain en bout de jardin peut être réservée aux arbustes fruitiers : groseilliers, cassissiers, framboisiers, mûres, logan-berry et autres ronces fruitières. Ne pas les planter trop serrés, afin de passer entre chaque arbuste pour faire les récoltes sans endommager les branches. On peut y associer des arbres fruitiers en fuseau de petites dimensions, mais il faut noter qu'un arbre a toujours besoin de 6 à 10 m² de zone libre sans végétaux sous sa ramure afin de permettre traitements et récoltes.

• L'espace des légumes sera entièrement consacré à des produits à consommer frais : salades diverses, carottes, hari-

cots verts, en fonction du temps qu'on aura à y consacrer. La culture des légumes est facile à condition d'avoir du temps libre pour quelques petits soins courants.

• Une petite serre, préférable à des châssis, permettra de faire une culture hâtée ou expérimentale de plantes un peu fragiles : melons, tomates, aubergines. Ces plantes ne peuvent être réussies par un débutant que si les conditions de chaleur sont obtenues. La serre permettra ensuite d'avoir des récoltes tardives en automne et hâtées en fin d'hiver, par exemple avec des fraisiers en pots ou des herbes.

• Des treillages ou des filins tendus autour de la zone des cultures gourmandes permettent de faire pousser les haricots grimpants et les pois. Le passage intérieur est assuré par des dalles préfabriquées posées sur un lit de sable.

Les erreurs à éviter

• On a tendance, quand on débute, à planter trop serré. Laissez aux plants toujours assez de place entre chacun d'eux, pour qu'ils se développent à l'aise.

• Une des erreurs courantes consiste aussi à choisir des variétés trop hâtives pour avoir sa récolte avant celle des producteurs. Mieux vaut choisir des variétés de saison, mais dont les propriétés gustatives sont les meilleures.

• A moins que l'on ne souhaite faire des conserves massives, éviter les variétés qui donnent toute leur production en même temps.

Une place pour les fleurs :

Quand l'espace jardin gourmand est assez grand, il est bon de l'enrichir avec des plantes aromatiques comme la lavande et le romarin. Rien n'interdit enfin de noyer les cultures de primeurs dans celles des fleurs, à condition que chacun aie sa part de soleil.

Vous aussi faites vos plans

Tous les plans en perspective de cet ouvrage et les illustrations dessinées sont réalisés avec le système « Jardiscope ». C'est un kit com-
prenant des centaines de possibilités de créations de décors et plantations, par simple placement d'adhésifs repositionnables sur une
grille servant de support. Même quand on ne sait pas dessiner, on
peut matérialiser son projet très facilement et à l'échelle permettant
les calculs de distances et de surfaces. Disponible dans certaines jardineries et chez Horticolor, 6 espace Henri Vallée, Lyon 69007.

Photos : D. Puiboube.

© 1996, **Marabou**t,
Alleur (Belgique).

Toute reproduction d'un extrait quelconque de ce livre par quelque procécé que ce
soit, et notamment par photocopie, est interdite sans autorisation écrite de l'éditeur.

Imprimerie Hérissey - Évreux - N° 74642
Dépôt légal octobre 1996/0099/379
ISBN 2-501-02709-4